Guide Pratique des Esprits
Irlandais

Guide Pratique des Esprits
Irlandais

Bob Curran

Illustré par Andrew Whitson

Traduit de l'anglais par
Annie Barwich-Podworny

Appletree Press

Première Publication en 1997 par
Appletree Press Ltd,
The Old Potato Station,
14 Howard Street South,
Belfast, BT7 1AP

Tel: +44 (028) 90 24 30 74
Fax: +44 (028) 90 24 67 56

Email: reception@appletree.ie
Website: www.appletree.ie

Guide Pratique des Esprits Irlandais

Un archivage de ce livre est disponible
à la British Library

Internet: www.irelandseye.com

ISBN: 978 0 86281 732 9

9 8 7 6 5 4 3

Table des Matières

Introduction

Les esprits ont toujours joué un rôle
majeur dans la vie des Irlandais et on
trouve différents types d'esprits dans toute
la campagne irlandaise. Jadis, on les
craignait tant qu'il était même absolument
interdit d'utiliser le mot «esprit», et pour
parler d'eux, on utilisait d'autres termes
plus flatteurs tels que «le peuple noble»
ou «le petit peuple».

Qui sont ces esprits et pourquoi les craint-on autant? Selon le *Livre d'Armagh*, ce sont les dieux antiques de la terre, des êtres anciens, communément vénérés dans toute l'Irlande païenne. Désormais réduits à l'état de souvenances, ils peuvent néanmoins faire encore sentir leur présence selon leur fantaisie.

Pour d'autres, il s'agit d'anges déchus, assis sur la barrière durant la grande rébellion au Paradis et que l'on rejeta à cause de leur indécision. Ils ne furent pas, néanmoins, chassés en enfer avec Lucifer et ses disciples, n'étant ni assez bons pour mériter le salut, ni assez mauvais pour mériter leur perte. Selon cette théorie, St Michel (le saint patron de tous les esprits) intercéda auprès de Dieu en leur faveur et on leur donna, pour résidence, des endroits sombres et éloignés de la terre, très loin des habitations humaines. On accorda à certains les profondeurs des océans et ils devinrent tritons et sirènes; d'autres furent envoyés sous terre et devinrent gobelins et trolls. A d'autres on octroya les airs et ils devinrent esprits follets et sheeries. A d'autres, enfin, on attribua les endroits rudes et stériles de la campagne et ils devinrent lépréchauns et grogochs.

Selon une autre théorie, ils seraient les derniers survivants de la race préhistorique des Tuatha de Danaan, qui vinrent de la Grèce Antique en Irlande et apportèrent avec eux un génie et une magie très avancés pour leur époque. On les vénéra un certain temps comme des dieux mais, peu à peu, le Christianisme se propageant en Irlande, ils se retirèrent dans les cavernes, les vallons déserts et les cuvettes qui caractérisent la campagne irlandaise, pour ne s'aventurer que très rarement à l'extérieur.

Les esprits peuvent être des créatures obstinées et capricieuses qui s'offensent facilement et se mettent très vite en colère. Ils sont souvent malveillants et jaloux envers les êtres humains qui ont des rapports spéciaux, impossibles pour eux, avec Dieu. Ils peuvent aussi être généreux et joyeux et nombre d'histoires affirment la beauté de leur musique et leur amour du sport et des festivités.

Ce livre tente d'identifier les esprits que le lecteur a le plus de chance de rencontrer, de détailler leurs origines et leurs caractéristiques, et lorsqu'il le convient, d'indiquer les protections possibles contre leurs coutumes malveillantes. Ce guide, bien sûr, n'est pas exhaustif, ceci étant intentionnel, car je me rappelle de l'avertissement donné au poète irlandais W. B. Yeats par la reine des fées, par l'intermédiaire d'un médium de Dublin. Quand elle fut poussée à parler des esprits, elle écrivit simplement cette phrase sur un bout de papier: «Prenez garde, et n'essayez pas d'en savoir trop à notre sujet!»

Le grogoch est célèbre dans
le nord du comté d'Antrim,
sur l'île de Rathlin et
dans certaines parties
du Donegal.

Le Grogoch

Variantes:

grogock

grigock

gru=og=ock

pecht

Il est aussi nommé «pecht», corruption
du mot Picte, race celtique qui jadis
habitait certaines régions d'Ecosse. Il
est maintenant généralement accepté
que les grogochs étaient à l'origine
mi-humains, mi-lutins aborigènes qui
vinrent de Kintyre en Ecosse pour
s'établir en Irlande. On trouve aussi
des grogochs sur l'île de Man où on les
nomme «phynnodderee».

Le Grogoch

Feu Robert McCormack, raconteur célèbre de l'île de Rathlin, affirma:

«Il est de fait que les grigocks vinrent d'Écosse. Ils en furent chassés il y a longtemps par les peuples celtiques qui vinrent y habiter. Ils traversèrent par une langue de terre qui se trouvait entre Kintyre et le nord d'Antrim. Et c'est pour cela qu'il y en a autant le long de la côte et sur les îles.»

Il est vrai que le grogoch a des homologues dans toutes les îles de l'ouest de l'Écosse, notamment dans les îles de Cara, au large de la côte de Gigha, et de Colonsay, où ces farfadets sont connus sous le nom de «brownies».

L'aspect du grogoch est celui d'un vieil humain; on ne connaît pas de grogochs féminins. Il est de la taille d'un petit enfant, totalement dénudé, mais son corps est couvert de poils brunâtres et rudes ou d'une toison. Cette pelisse est épaisse, sale, emmêlée et enchevêtrée de brindilles et de crasse que le grogoch a accumulées durant ses voyages: les grogochs ne sont pas connus pour leur hygiène corporelle.

Il est totalement bienveillant, contrairement à d'autres farfadets auxquels il ressemble. Parmi ceux-ci, les plus célèbres sont les laughremen, farfadets que l'on trouve seulement au sud d'Armagh, qui sont renfrognés et d'un naturel sauvage. Les laughremen veillent sur leurs trésors d'or cachés et leur seul but est de chasser les inconnus trop curieux. En revanche le grogoch est aimable, cordial et il n'est pas enclin à jouer des tours. Quoique très travailleur, il est pauvre comme un rat.

14

Le Grogoch

Son apparence négligée a engendré nombre d'expressions communes le long du littoral d'Antrim. On dit aux enfants débraillés des alentours de Waterfoot, surtout à ceux qui sont ébouriffés, qu'ils «ressemblent à un vieux grogoch», et on dit qu'une maison sale ressemble à «la porcherie du grogoch».

La demeure du grogoch est à l'image de sa robustesse. Il s'agit généralement d'une caverne, d'un trou ou d'une entaille dans le paysage. On trouve, disséminées dans la campagne du nord de grandes «pierres penchées», deux pierres levées qui se soutiennent et que l'on appelle les maisons des grogochs.

Frank Craig, un autre habitant de l'Ile de Rathlin, raconte l'histoire suivante: «La maison du grogoch, c'est deux grandes pierres levées près de Leg-an-thass-nee. Jadis, si vous y étiez, vous auriez pu les voir prendre leurs aises le soir, assis au soleil, fumant leurs pipes écossaises. C'est une histoire vraie car je connais des gens, encore en vie, qui les ont vus».

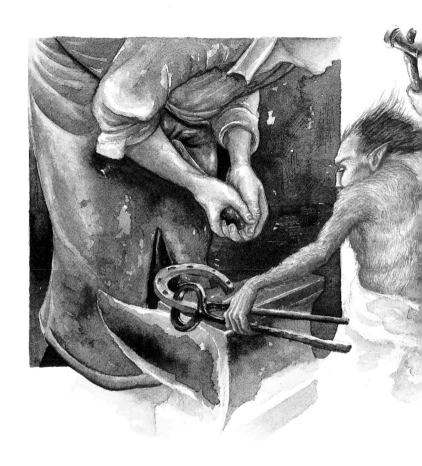

De tous les esprits irlandais, le grogoch est le plus sociable envers les humains. Il peut même se lier à certains individus et les aider à planter et récolter leurs cultures ou à faire leurs travaux domestiques. A cet égard, sa serviabilité peut devenir un tourment.

Le Grogoch

On le trouve surtout à l'air vif et sa constitution robuste le protège par tous les temps – il est insensible à la canicule et au froid. Il peut survivre pendant de longues périodes sans sommeil et sans nourriture. Travailleur acharné, on peut l'apercevoir à toute heure du jour ou de la nuit, labourant dans les champs ou faisant quelques travaux pour ses voisins. Toutefois, comme beaucoup d'autres farfadets, il possède le pouvoir de devenir invisible et ne se laissera observer que par ceux en qui il a toute confiance.

Il va s'affairer dans la cuisine à la recherche de quelque besogne et, invariablement, va se mettre dans les jambes de la maîtresse de maison vaquant aux soins du ménage. Par exemple, une femme de l'Ile de Rathlin s'apprêtait à poser sur la table le chaudron d'eau bouillante qu'elle avait retiré du feu quand le grogoch, dans ses jambes à la recherche d'une besogne, la fit trébucher et elle renversa une goutte d'eau bouillante sur une partie sensible de la peau du grogoch. Il poussa un cri perçant: «Aïe, aïe, mon viggerald-vaggerald est tout ébouillanté!» et il s'enfuit de la maison. Après cet incident, pour rien au monde il ne voulut retourner dans la maison, mais il traîna dans la cour de la ferme et gêna le fermier dans son travail.

Avant tout le grogoch est un travailleur inlassable et il ne supporte pas la paresse des humains. Il va réveiller les gens qui dorment tard le dimanche matin en sautant sur leur lit et en les frappant au visage. Et de la même façon, il va harceler sans cesse les ouvriers qui font une pause durant la fenaison jusqu'à ce qu'ils reprennent le travail.

Ce farfadet va dispenser ses services sans réclamer de rétribution et de lui donner même un petit cadeau le fera disparaître pour toujours. Il partira tout en larmes car il a très bon coeur. La seule récompense qu'il accepte est un bol de crème, la première crème tirée du lait, et il le boit d'un seul trait puis s'essuie les moustaches.

Comme beaucoup d'autres farfadets, le grogoch redoute le clergé et n'entrera pas dans une maison si un prêtre ou un pasteur est présent. Si le grogoch devient gênant, il est recommandé de faire venir un prêtre pour chasser la créature qui ira tourmenter par inadvertance quelqu'un d'autre.

Aucune des créatures appartenant au monde des esprits irlandais n'est plus mystérieuse et plus sinistre que l'Homme Gris.

l'Homme Gris

Variantes:
Far Liath
an fir lea
brolaghan
Old Boneless

Les origines de l'Homme Gris sont mal définies mais on le connaît sous divers noms. Dans les régions de l'ouest de l'Irlande comme Galway, Sligo et Kerry, il est connu sous le nom anglicisé de «Old Boneless» (Vieux Désossé).

l'Homme Gris

Cet esprit apparaît souvent comme un brouillard épais et visqueux, qui recouvre la terre et la mer d'un manteau humide. Quoiqu'il habite surtout les régions côtières, on le trouve aussi dans les collines et dans les cuvettes profondes et marécageuses.

Dans le nord de l'Antrim, il est appelé le *brolaghan* (nom provenant de l'irlandais et signifiant une chose sans forme ni contour). Cette dernière terminologie n'est pas strictement correcte, car les brolaghans sont un type spécifique d'esprits sans rapport particulier avec la brume ou le brouillard. Il est probable que l'Homme Gris est la forme elfique d'un ancien dieu celtique du temps ou de l'orage, *an fir lea*, qui était vénéré par les peuplades qui, vers 1500 av. J.-C., vivaient le long de la côte.

Cet esprit est si mystérieux qu'il existe plusieurs descriptions physiques contradictoires. Dans les comtés de Waterford et de Wexford, il n'est rien plus qu'une ombre nébuleuse et échevelée qui se déplace à contre jour et laisse des traînées de brume dans son sillage. Dans les comtés de Kerry et de Clare, il devient un être de taille humaine enveloppé d'une cape de rubans de brume qu'il fait tournoyer sans cesse. Dans les comtés d'Antrim et de Down, c'est un géant nébuleux et encapuchonné tel un moine, revêtu d'un habit de brume et que l'on aperçoit au grand large ou au-dessus des montagnes lointaines.

l'Homme Gris

Etant une créature de la brume et du brouillard, l'Homme Gris se nourrit de la fumée des cheminées des maisons. Pour cette raison, il est un des rares esprits qui s'aventure près des grandes villes ou agglomérations où il devient tout aussi désagréable que lorsqu'il sévit à la campagne ou parmi les peuplades de la côte. On le reconnaît à son passage au relent de moisi de sa cape qui exhale une odeur de feu de bois et de tourbe et, dans son sillage, l'air devient froid et humide.

L'Homme Gris se complait à faire des victimes et utilise son manteau de brume à des fins meurtrières. Il pourra, par exemple, masquer les rochers le long de la côte pour que les navires de passage s'y fracassent ou bien encore dissimuler une route pour que le voyageur se perde et fasse une chute mortelle dans un précipice dangereux.

Vous n'êtes pas non plus à l'abri des attentions de l'Homme Gris si vous restez chez vous. Au contact de sa main, le lait non couvert deviendra aigre. Son contact fait aussi noircir et pourrir les pommes de terre qui ont été rentrées pour l'hiver et mouille la tourbe empilée qui ne s'allumera pas une fois dans l'âtre.

Dans certaines parties de l'Irlande, comme à
Limerick et à Cork, on croit que le Far Liath
propage les maladies qu'il transporte dans les plis de
sa cape. On lui associe rhumes, angines et grippes.

l'Homme Gris

Cet esprit ne possède pas le don de la parole et il ignore les supplications des marins et des voyageurs perdus. Cependant, l'expression: «Dieu vous bénisse!» semble exercer un pouvoir sur lui et peut l'éloigner, du moins pendant quelques temps. Un crucifix ou une médaille pieuse, surtout lorsqu'ils ont été bénis par un évêque, ont un effet semblable, mais il faut se souvenir que de tels objets ne le tiendront pas à distance très longtemps. Il reviendra plus virulent que jamais. Ceci n'empêchait pas les marins jadis d'apposer des médailles sur la proue de leurs navires et les paysans de placer des crucifix dans leurs piles de tourbe pour écarter les mauvais esprits. Ces coutumes étaient courantes, jusqu'à très récemment, dans certaines campagnes.

«J'avais ramassé toutes les pommes de terre de l'année, juste avant l'arrivée des longues nuits,» raconte Johnny Aherne, un cultivateur du comté de Limerick. «Je pensais qu'elles seraient à l'abri dans une remise derrière chez moi. Mon père m'avait mis en garde contre le Far Liath, mais à dire vrai, je n'en ai pas tenu compte. J'ai donc mis les pommes de terre en tas dans la remise et je n'ai pas pris la peine de les protéger. Le lendemain matin, elles étaient devenues noires et immangeables. Le Far Liath les avait touchées et aucune pomme de terre ne lui avait échappé. Eh bien, vous pouvez être sûr qu'après cela, j'ai toujours observé les vieilles coutumes!»

En fait, on le craint tant dans certains endroits que certains chemins lui sont réservés pour qu'il puisse se déplacer sans importuner les humains. A Fair Head, dans le nord du comté d'Antrim, un pont de pierres est appelé localement le Chemin de l'Homme Gris et le Far Liath l'emprunte régulièrement. Le simple fait de l'entrevoir durant ses voyages est une invitation au malheur.

On trouve les sheerie des terres
dans l'Irlande entière, du comté de
Cork au comté
de Donegal.

La Sheerie

Variantes:

tein sidhe

tein sionnic

Seán na gealaige

Liam na Lasoige

Dans certains comtés, on les considère
comme un infaillible présage funeste,
leur seule présence annonçant la
malchance et même la mort pour
celui qui les voit. Elles prennent grand
plaisir à égarer, par maléfice, ceux qui
se risquent à sortir après la tombée
du jour et les font errer sans but dans
la campagne jusqu'au moment où
les sheerie décident de rompre leur
sortilège.

 La Sheerie

Un récit, du comté de Limerick, décrit la rencontre suivante avec les sheerie:

«Il y avait une grande pierre levée près du Mile Bridge que je devais passer pour rentrer chez moi chaque soir. Cette fois-là, elle était éclairée de lumières dansantes qui tournoyaient autour d'elle. Je savais que c'était les sheerie et j'étais très effrayé mais par chance j'avais un clou de fer à cheval sur moi. Je le brandis et elles me laissèrent passer sans m'égarer ni me rendre fou. Mais jamais plus je ne suis passé par ce chemin là.»

De tous les esprits irlandais la sheerie est un des plus insolites et potentiellement le plus dangereux. Les sheerie (le nom est à la fois singulier et collectif) sont d'étranges créatures phosphorescentes qui associent des éléments de nature à la fois humaine et féerique. On les décrit surtout comme des rayons de lumière flottants que l'on peut apercevoir au crépuscule et qui se déplacent de cachette en cachette.

La croyance veut qu'elles soient les âmes d'enfants non baptisés (probablement ceux qui sont mort-nés) qui essaient de revenir dans le monde des mortels. Entre temps elles se sont imprégnées de magie noire elfique qui les rend hostiles envers les humains. Il semble, en effet, que leur seul but soit de causer des malheurs aux vivants dont elles sont profondément jalouses et de se réjouir de toute calamité qui s'abat sur l'humanité.

Les sheerie sont divisées en deux groupes: les sheeries des eaux qui hantent les régions marécageuses et côtières et les sheerie des terres qui rôdent près des ruines de bâtisses abandonnées comme des fermes ou des moulins.

# La Sheerie

On peut également apercevoir des sheerie dans des endroits qui sont associés à la tradition païenne – places fortes, tertres et tumuli – et elles tendent à être actives durant les grands festivals préchrétiens comme Bealtaine (le 30 avril) ou Samhain (le 31 octobre). Aucune de ces sheerie n'a le pouvoir de la parole quoiqu'elles puissent pousser un cri perçant, un son aigu ressemblant à un sifflement de sang dans les oreilles. L'être humain qui entend ce cri continûment peut en devenir fou.

On décrit les deux types de sheerie comme de petites créatures lutinesques qui ont des visages de petits enfants. Dans le comté de Mayo, une personne qui les a vues, les décrit se rassemblant au-dessus des eaux d'une tourbière traîtresse:

«C'étaient de toutes petites choses, de la taille d'un lièvre adulte ou d'un bébé nouveau-né. Elles étaient entourées de lumière mais ce n'était pas vraiment une bonne lumière – c'était comme l'éclat terne qui émane de corps morts. Nous l'appelons une lumière de cadavre. Certaines semblaient porter de minuscules lanternes et d'autres tenaient des brindilles qui paraissaient brûler à un bout. Et l'air était rempli de leurs cris – de petits sons aigus comme un tintement d'oreilles. Je ne pourrais pas vous le décrire mais vous le reconnaîtriez entre tous les sons, sauf peut-être celui de la bécassine qui appelle dans les joncs. Elles bondissaient et sautaient sur toute la tourbière, à l'endroit le plus dangereux».

Pour certains, les sheerie ne sont rien de plus que des
gaz de marécages en combustion, mais à l'encontre de
cette explication, on doit faire remarquer que les gaz
ne s'allument pas d'eux=mêmes et qu'ils ne virevoltent
pas de leur propre gré. Et comme cette vieille prière du
Connemara le suggère: «Des fantômes, des esprits et des
sheerie, Ô, Seigneur, protégez=nous».

La Sheerie

Les sheerie des eaux se sont faites une réputation malfaisante car on prétend qu'elles attirent les voyageurs vers leur mort ou vers le désastre dans la campagne marécageuse ou dangereuse. Elles le font en créant l'illusion d'une habitation accueillante et bien illuminée dans le lointain. La lumière des sheerie danse en fait au-dessus du trou noir de la tourbière dans lequel le pauvre voyageur risque de tomber et de se noyer. Les sheerie des eaux sont aussi nommées «cierges de cadavre» car quiconque les suit, risque rapidement de devenir un cadavre.

On trouve les sheerie des terres dans l'Irlande entière, du comté de Cork au comté de Donegal. Dans certains comtés, on les considère comme un infaillible présage funeste, leur seule présence annonçant la malchance et même la mort pour celui qui les voit. Elles prennent grand plaisir à égarer, par maléfice, ceux qui se risquent à sortir après la tombée du jour et les font errer sans but dans la campagne jusqu'au moment où les sheerie décident de rompre leur sortilège.

Les sheerie des eaux et des terres ont aussi le pouvoir de pousser provisoirement à la folie tout être humain qu'elles rencontrent. Entouré de lumières étincelantes et éblouissantes, peut-être égaré et seul dans un endroit dangereux, le voyageur devient de plus en plus désorienté et hystérique et se met à courir déraisonnablement dans tous les sens en débitant des inepties. Et ceci pour la plus grande joie des sheerie.

Dans certains endroits des comtés de Clare et de Galway, les sheerie des eaux et des terres apparaissent non comme des êtres lumineux mais comme des gobelins malfaisants. Les voyageurs sont abordés par un petit homme à la longue barbe grise, vêtu d'un manteau de toile noire, qui tient en guise de flambeau, un fétu de paille dont le bout brûle continuellement. Il fera un signe, prétendant montrer le chemin d'une auberge accueillante ou insinuera qu'il connaît un endroit où se cache un trésor. Ceux qui le suivent, cependant, vont invariablement vers le danger. Une façon de les chasser est de brandir devant elles un crucifix ou un instrument en fer. Une autre méthode est de mettre son manteau à l'envers et de réciter le Notre Père à forte voix. L'eau bénite les chassera aussi mais pour quelques moments seulement.

Il semble que les dames du monde des esprits en Irlande ont des difficultés à donner naissance. Beaucoup d'enfants esprits meurent avant la naissance et ceux qui survivent, sont souvent des créatures rabougries ou déformées.

Les Changelins

Variantes:

stocks

Les esprits adultes, qui sont des êtres esthétiques, éprouvent de la répulsion envers ces nouveau-nés et n'ont aucun désir de les garder. Ils essaieront de les échanger contre des enfants bien portants qu'ils enlèveront du monde des mortels. La créature toute ridée et au mauvais caractère qu'ils laissent à la place de l'enfant humain est généralement connue sous le nom de «changelin» et possède le pouvoir d'attirer le malheur sur toute la famille. Tout enfant qui n'est pas baptisé ou qui est ouvertement admiré court le risque d'être «échangé».

Les Changelins

Les changelins sont surtout remarquables, cependant, par leur humeur. Les bébés sont généralement joyeux et agréables, mais l'esprit qui les remplace n'est jamais heureux sauf lorsqu'un désastre survient à la famille. La plupart du temps, il pousse cris et hurlements quand il est éveillé et le bruit et la fréquence de ses cris dépassent souvent les limites de la tolérance humaine.

Il existe trois types de changelins: les véritables enfants d'esprits, les esprits séniles qui sont déguisés en enfants et les objets inanimés, tels que des morceaux de bois qui prennent l'apparence d'un enfant grâce à la magie des esprits. Ce dernier est connu sous le nom de «stock».

Des traits ratatinés et ridés associés à une peau jaune et parcheminée sont les attributs génériques des changelins. Cet esprit aura aussi des yeux très noirs qui révèlent une sagesse beaucoup plus mûre que son âge apparent. Les changelins possèdent d'autres caractéristiques, généralement des difformités physiques, les plus communes étant un dos bossu et une main estropiée. Deux semaines environ après leur arrivée dans la famille humaine, les changelins auront toutes leurs dents, des jambes aussi fines que des os de poulets et des mains tordues et crochues comme des serres d'oiseaux et recouvertes de poils clairs duvetés.

La famille qui abrite un changelin ne connaîtra aucun bonheur car la créature vide la maisonnée de toute la chance qui s'y trouverait normalement. Ainsi, ceux qui sont affligés d'un changelin sont généralement très pauvres et ont beaucoup de mal à subvenir aux besoins de ce monstre affamé qui se trouve parmi eux.

Une caractéristique positive de cet esprit est qu'il peut faire preuve de talent pour la musique. En grandissant, le changelin apprendra à jouer d'un instrument de musique, souvent du violon ou de la cornemuse irlandaise, et il jouera avec un tel talent que tous ceux qui l'entendent seront extasiés. Ce récit provient des alentours de Boho dans le comté de Fermanagh:

«J'ai vu un changelin une fois. Il habitait avec deux vieux frères par delà le Puits du Chien et il ressemblait à un petit singe rabougri. Il avait dix ou onze ans mais il ne pouvait pas vraiment marcher, il avançait par petits sauts. Mais il pouvait jouer du flûtiau mieux que quiconque. Il ne jouait que de vieux airs que les gens avaient oubliés depuis longtemps. Puis un jour, il disparut et je ne sais pas du tout ce qu'il lui est arrivé».

Comme il vaut mieux prévenir que guérir, on peut placer
certaines protections autour du berceau du nouveau-né pour
chasser le changelin. Un crucifix saint ou des pinces en fer
mis en travers du berceau seront généralement efficaces. Un
vêtement du père, placé sur l'enfant durant son sommeil,
aura le même effet.

Les Changelins

Les changelins ont des appétits extraordinaires et mangeront tout ce qui est placé devant eux. Les changelins ont des dents et des griffes et ne se nourrissent pas au sein comme les enfants humains, préférant manger la nourriture du garde-manger. A la fin de chaque repas, la créature réclamera encore de la nourriture. On sait que les changelins peuvent manger toute la nourriture des placards sans pour autant être rassasiés. Quelle que soit la quantité qu'il dévore, le changelin reste tout aussi décharné.

Les changelins ne vivent pas longtemps dans le monde des mortels. Généralement, ils se ratatinent et meurent dans les deux ou trois premières années de leur existence humaine. On pleure la disparition du changelin et on l'enterre; mais si sa tombe est dérangée, on ne trouvera qu'une brindille noircie ou un morceau de chêne de tourbière à l'endroit où l'enfant devrait être. Certains changelins vivent plus longtemps mais rarement jusqu'à l'adolescence.

Il existe aussi des changelins adultes. Ces sosies d'esprits ressembleront exactement à la personne qu'ils s'approprient mais auront un tempérament revêche. Le sosie sera froid et distant et ne s'intéressera ni à ses amis ni à sa famille. Il sera aussi ergoteur et bougon. Comme pour le nouveau-né, un changement de personnalité notable indique clairement un changelin adulte.

On peut chasser les changelins de la maison. Et lorsque ceci est accompli, l'être humain enfant ou adulte sera invariablement rendu sain et sauf.

La moins sévère des méthodes pour le déloger est de pousser le lutin par la ruse à avouer son âge véritable. Une autre méthode est de forcer l'être que l'on soupçonne d'être un changelin, à boire une tisane de digitale qui brûlera ses entrailles humaines et le contraindra à regagner en toute hâte le royaume des lutins. Le changelin abomine la chaleur et le feu qui le feront immanquablement fuir.

Aucun esprit
n'est plus redouté
en Irlande que le
phooka.

Le Phooka

Variantes:

phouka

puca

Il se peut que ce soit parce qu'il rôde toujours à la tombée de la nuit, causant peine et dégâts et qu'il peut assumer une variété de formes terrifiantes.

Le Phooka

Cependant, son aspect le plus commun, est celui d'un cheval noir au poil brillant, aux yeux jaunes sulfureux et à la crinière longue et folle. Sous cet aspect, il rôde par la campagne la nuit, arrachant clôtures et barrières, dispersant le bétail épouvanté, piétinant les récoltes et causant des dégâts aux environs des fermes isolées.

Dans les endroits isolés du comté de Down, le phooka devient un petit gobelin déformé qui demande sa part de la récolte à la fin de la moisson; et pour cette raison, les faucheurs laissent derrière eux plusieurs gerbes, nommées «la part du phooka». Dans certaines parties du comté de Laois, le phooka devient un énorme croque-mitaine velu qui épouvante les personnes qui s'aventurent dehors à la nuit tombée; dans les comtés de Waterford et Wexford, il apparaît comme un aigle à l'envergure massive, et dans le comté de Roscommon, comme un bélier noir aux cornes spiralées.

Le simple fait de le voir et les poules ne pourront pondre ni les vaches donner du lait. Qui plus est, il est le fléau des personnes qui voyagent tard la nuit car on dit qu'il les enlève pour les placer sur son dos et les jeter dans des fossés boueux ou des tourbières. Le phooka possède le pouvoir de la parole humaine, et on dit qu'il s'arrête devant certaines maisons et crie le nom de ceux qu'il veut emmener lors de ses chevauchées de minuit. Si la personne refuse, le phooka saccagera ses biens car c'est un esprit très vindicatif.

Le Phooka

Les origines du phooka sont, dans une certaine mesure, spéculatives. Le nom provient peut-être du scandinave *pook* ou *puke,* qui signifie «esprit de la nature». Ces êtres étaient très capricieux et devaient être apaisés continuellement sans quoi ils causaient des ravages dans les campagnes, détruisaient les récoltes et rendaient le bétail malade. Une autre hypothèse consiste à dire que les divers cultes du cheval, pratiques très répandues aux temps celtiques anciens, sont peut-être à l'origine de cette vision de coursier cauchemardesque.

D'autres autorités suggèrent que le nom provient de l'irlandais primitif poc qui signifie soit «un bouc» soit «un coup de gourdin». Mais l'origine liée au culte du cheval est peut-être la plus vraisemblable car les adeptes de nombre de ces cultes se rassemblaient sur les hauteurs. De plus, on dit que la demeure principale du phooka est située au sommet de hautes montagnes. Dans les montagnes de Wicklow, une cascade formée par la rivière Liffey est connue sous le nom de *Poula Phouk* (le trou du phooka), et la montagne de Binlaughlin dans le comté de Fermanagh est aussi connue sous le nom de «pic du cheval qui parle».

Le Phooka

Dans certaines parties du pays, le phooka est plus mystérieux que dangereux si on le traite avec suffisamment de respect. Il peut même être obligeant à l'occasion, prodiguant prophéties et avertissements au moment opportun. Le folkloriste Douglas Hyde mentionna par exemple un «coursier au poil brillant massif et terrible» qui surgissait d'une colline dans le comté de Leinster et parlait d'une voix humaine à ceux qui s'y trouvaient le premier novembre. Il était accoutumé à donner «des réponses correctes et intelligentes à ceux qui le consultaient sur ce qui allait leur arriver jusqu'au novembre de l'année suivante. Et les gens laissaient des dons et des cadeaux sur la colline...»

Il semble qu'un phénomène semblable se soit produit dans le sud de Fermanagh où, jusqu'à ces derniers temps, on se rassemblait sur les hauteurs le Dimanche des Myrtilles pour attendre l'arrivée du cheval qui parle.

Un seul homme a jamais réussi à chevaucher le phooka : Brian Boru, le roi suprême d'Irlande. Il utilisa une bride spéciale qui contenait trois poils provenant de la queue du phooka et réussit à contrôler le cheval enchanté et à rester sur son dos jusqu'au moment où le cheval, épuisé, se plia à sa volonté. Le roi lui arracha alors deux promesses: d'abord, il ne devra plus tourmenter les chrétiens et ni détruire leurs biens et ensuite, il ne devra plus attaquer d'Irlandais (toutes les autres nationalités étant exemptes) sauf ceux qui sont ivres ou au dehors animés de mauvaises intentions. Il pouvait attaquer ces derniers plus férocement que jamais. Le phooka accepta ces conditions. Cependant, au fil des années, il semble avoir oublié son marché et continue jusqu'à ce jour à s'attaquer aux biens et aux pèlerins sobres retournant chez eux.

Dans la plupart des pays, les sirènes
ont un torse de femme
et la queue d'un
poisson.

Les Merrows

Variantes:

silkies

sirènes

Mais en Irlande les seules différences
physiques entre les merrows et les
humains sont que les pieds des
merrows sont plus plats que ceux des
mortels et que leurs mains présentent
une fine palmure entre les doigts.

Les Merrows

Le mot «merrow» ou *moruadh*, provient de l'irlandais *muir* (signifiant la mer) et *oigh* (signifiant jeune fille) et s'applique spécifiquement à la femelle de l'espèce.

Les habitants des eaux sont aussi connus sous le nom de «suíre», mot corrompu en la variante écossaise, silkie. Les tritons, dont on ne peut douter l'existence, sont les homologues masculins des merrows et ont rarement été aperçus. Les quelques descriptions que nous en avons, les représentent comme des êtres très laids et couverts d'écailles, aux traits porcins et aux longues dents pointues. Les merrows, par contre, sont extrêmement belles et ce n'est peut-être pas surprenant, étant donné leurs partenaires déplaisants, qu'elles entretiennent des relations très libres avec les mortels.

Les merrows auront bien naturellement une affinité spéciale avec l'eau que les humains ne partagent pas. Les merrows irlandaises sont les habitantes elfiques de Tir fo Thoinn (le Pays en dessous des Vagues), vaste continent sous-marin, quoiqu'elles soient amphibies — elles peuvent vivre aussi sur terre pendant de longues périodes.

De nombreux habitants des côtes ont eu des merrows pour maîtresses et certaines familles irlandaises célèbres déclarent être originaires de telles unions, notamment les familles O'Flaherty et O'Sullivan du Kerry et les MacNamaras du comté de Clare. Le poète irlandais W. B. Yeats signala un autre cas dans son *Irish Fairy and Folk Tales*: «On raconte que près de Bantry, au siècle dernier il y avait une femme, couverte d'écailles comme un poisson, qui était la descendante d'un tel mariage».

Les merrows portent des vêtements spéciaux qui leur permettent de se déplacer dans les courants des océans. Dans les comtés de Kerry, Cork et Wexford, elles portent un petit chapeau rouge en plumes, nommé cohullen druith.

Mais, dans les eaux plus au nord, elles se déplacent au gré des vagues, enveloppées de capes en peau de phoque dont elles prennent l'aspect et les attributs. Pour venir à terre, la merrow doit abandonner son chapeau ou sa cape, et tout mortel qui les trouve a un pouvoir sur elle, car elle ne peut pas retourner à la mer sans les avoir récupérés.

L'échange de ces articles entre les habitants des eaux et les mortels est monnaie courante sur la côte irlandaise. Les exemples de pêcheurs qui cachent les capes dans le chaume de leur maison et persuadent les merrows de les épouser abondent. Pourtant, la merrow parvient toujours à trouver la cape et son désir de retrouver la mer est si fort qu'elle abandonne son mari et ses enfants humains pour y retourner.

On doit remarquer que, bien que la merrow soit une excellente épouse et une bonne cuisinière, une femme de la mer mariée rit peu et ne se montre que rarement affectueuse envers son mari et ses enfants. De plus, les épouses merrows sont souvent très riches, possédant des trésors en or que leur espèce a pillés à bord de navires naufragés. En conséquence, un homme marié à une femme de la mer est établi pour la vie à condition qu'il puisse supporter une partenaire froide et distante.

Certaines de ces prétendues merrows ne sont nullement des êtres de la mer.
Elles ont au contraire des origines humaines. Ce sont habituellement des
enfants victimes d'une catastrophe en mer et qui ont été emportés et élevés
par les habitants de la mer à Tir fo Thoinn. Ils ont tendance à oublier leurs
origines humaines et vivent heureux parmi les êtres de la mer. Cependant,
s'ils remettent pied sur terre, leurs souvenirs humains reviennent et ils ne
peuvent plus retourner à la mer.

C'était le cas de Ste Murgen, femme sainte, qui, au VIème siècle, habitait dans le nord de l'Irlande. Née humaine et nommée Liban, elle habitait autrefois avec ses parents sur la côte écossaise. Durant un orage, ses parents se noyèrent et elle fut emportée par une violente inondation. De nombreuses années plus tard – on avance la date de 588 – elle fut prise dans des filets posés dans le Lough de Belfast. Durant la période intermédiaire, elle avait vécu avec des merrows sous la mer. Elle adopta plus tard le nom de Murgen, embrassa le christianisme et effectua beaucoup de guérisons miraculeuses en Irlande. A sa mort, elle fut enterrée dans l'église St Cuthbert à Dunluce dans la région nord du comté d'Antrim, où un motif en coquillages marque ses années passées avec les peuples de la mer.

Il ne faut pas présumer que les merrows sont bien intentionnées à l'égard des humains. En tant que membres du sidhe, ou monde elfique irlandais, elles ont une aversion naturelle pour les humains. Les merrows se marient aux humains uniquement dans le but d'assurer l'entrée du paradis à leurs enfants, en vertu du sang humain qui coule dans leurs veines. Il n'est donc pas prudent de s'assoupir près du rivage sans une protection quelconque, tel qu'un crucifix ou une médaille, au cas où les êtres de la mer tentent de noyer le dormeur en l'entraînant sous les vagues. De plus, si vous devez dormir sur une plage, il est conseillé de vous allonger à proximité d'une église munie d'une cloche car le son de la cloche chassera les êtres malfaisants de la mer. Aucune merrow n'entrera dans une église; on peut donc supposer être aussi à l'abri de ses attentions dans l'enceinte de celle-ci.

Dans certaines régions d'Irlande, les merrows sont considérées comme porteuses de désastre et de mort, et on dit qu'il est très malchanceux d'en voir une. Les pêcheurs du Kerry, par exemple, retourneront au port s'ils voient une merrow assise sur un rocher. Certaines chroniques mentionnent une merrow particulière qui, assise sur une île rocheuse au milieu de la rivière Shannon, lisse ses longs cheveux. Ceux qui l'aperçoivent, selon les dires, mourront dans l'année. En dépit de sa richesse et de sa beauté, vous devez rester particulièrement sur vos gardes lorsque vous rencontrez cette fée de la mer.

Les folkloristes s'interrogent de savoir
si la banshie est une fée, un esprit ou
une mortelle.

La
Banshie

Variantes:
bean=nighe
bean=chaoínte

Son nom irlandais, *bean-sidhe* (femme
des esprits) suggère qu'elle est de la
race des esprits mais on la considère
parfois comme un fantôme vengeur
qui suivra une famille qui lui a fait du
mal et se complaira dans la mort de
ses membres. D'autres l'ont décrite
comme un esprit ancestral, désigné
par Dieu, pour avertir les membres de
certaines anciennes familles irlandaises
du moment de leur mort.

La Banshie

La banshie, esprit agité qui suit les familles irlandaises de sang celtique pur et leur annonce un décès par une mélopée funèbre, est une des plus célèbres figures surnaturelles d'Irlande.

En 1437, le roi James I d'Ecosse fut abordé par une «prophétesse» irlandaise ou banshie qui lui prédit son assassinat à l'instigation du comte d'Atholl. Ceci est un exemple de banshie de forme humaine. Des récits mentionnent plusieurs banshies humaines ou prophétesses au service de grandes familles d'Irlande et des cours des rois irlandais.

Quelles que soient ses origines, la banshie apparaît principalement sous un de ces trois aspects: une jeune femme, une matrone imposante ou une vieille harpie fripée. Ce sont là les trois aspects de la déesse celtique de la guerre et de la mort, à savoir Badhbh, Macha et Mor-Rioghain. Elle porte généralement une grande cape grise à capuchon ou le linceul ou suaire de ceux qui sont morts sans confession. Elle peut aussi apparaître comme une lavandière et on la voit apparemment laver les vêtements souillés de sang de ceux qui sont sur le point de mourir. Sous cet aspect, on la nomme *bean-nighe* (lavandière).

Elle apparaît aussi sous des aspects divers: une corneille mantelée, une hermine, un lièvre ou une belette. Tous ces animaux sont associés en Irlande à la sorcellerie et donnent à la banshie une aura magique funeste.

Mais la banshie est plus célèbre pour sa mélopée funèbre irlandaise, messagère de la mort.

La Banshie

On ne la voit pas toujours mais on entend son cri funeste, normalement la nuit quand quelqu'un est sur le point de mourir. Dans certaines parties du comté de Leinster, on la nomme *bean chaointe* – femme chantant une mélopée dont les sanglots sont si perçants qu'ils brisent le verre. Dans le comté de Kerry, la mélopée est perçue comme un «chant faible et plaisant»; en Tyrone comme «le bruit de deux planches que l'on cogne», et sur l'Île de Rathlin comme «un son grêle et rauque, se situant entre les sanglots d'une femme et le gémissement d'une chouette».

Savoir si la banshie ne pleure que pour les membres mourants des vieilles familles aristocratiques d'Irlande ou si elle pleure pour tous les Irlandais qui se meurent est un sujet controversé. Selon la tradition, la banshie ne peut pleurer que pour cinq grandes familles irlandaises – les O'Neills, les O'Briens, les O'Connors, les O'Gradys et les Kavanaghs – car ce sont les seules «véritables» familles gaéliques qui n'ont pas de sang normand dans les veines. Mais à partir du douzième siècle, ces familles commencèrent à se marier avec des colons anglais immigrants et formèrent de nouvelles familles et de nouveaux clans, et la banshie commença à étendre ses égards vers eux. A la différence des autres esprits irlandais, les océans ne semblent pas être un obstacle pour elle car elle pleurera pour les personnes confiées à sa garde où qu'elles se trouvent de par le monde. Les chroniques mentionnent que l'on a entendu la banshie dans divers pays comme le Canada et l'Australie et presque partout où les immigrants irlandais se sont installés en nombre.

Essayer d'attraper la banshie n'est pas tâche facile car elle se déplace très rapidement. Dans les comtés de Clare et de Galway, à ce que l'on dit, «son glissement est bien plus rapide que le pas humain», tandis que dans le comté de Mayo elle semble «sauter comme une pie et même un cheval au grand galop ne pourrait la rattraper».

La Banshie

Au cours des années, on a rapporté plusieurs descriptions de la banshie. On l'identifie généralement comme un visage apparaissant à une fenêtre ou on l'entrevoit de loin. Dans certains cas, elle se lave ou se peigne les cheveux ou bien bat du linge. On ne doit en aucun cas s'en approcher car de grands malheurs arriveront à ceux qui l'abordent et cette malédiction frappera aussi leurs descendants. Les mésaventures d'un nommé Thomas Reilly de Galway qui essaya d'attraper la banshie devraient servir d'avertissement: il mourut quelques secondes après l'incident et son fils Michael hérita de la ferme familiale qui ne prospéra jamais. Michael eut quatre enfants et tous furent simples d'esprit. Michael lui-même souffrit d'un cancer qui lui rongea le visage et auquel il succomba. D'autres ont aussi essayé de voler le peigne ou le battoir de la banshie et ont subi le même destin.

La plus célèbre banshie fut peut-être Aoibheall, qui apparut au chef irlandais Dunlang O'Hartigan le 23 avril 1014, juste avant la bataille de Clontarf. Elle le supplia de ne pas prendre part à la bataille et lui promit 200 ans de vie et de bonheur s'il s'abstenait de se battre une seule journée. O'Hartigan, premier lieutenant de Brian Boru, refusa catégoriquement. Aoibheall prédit alors la victoire des troupes irlandaises mais prophétisa aussi que O'Hartigan et son fils Turlough, ainsi que Brian Boru périraient tous dans la bataille. La prophétie se réalisa, et alors que le soleil se couchait, on vit Aoibheall qui chantait à pleine voix une mélopée funèbre pour les Irlandais morts au champ de bataille. Puis elle devint Banshie ou Prophétesse de la Maison Royale de Munster et on peut encore la voir et l'entendre sur les collines au dessus du Lough Derg.

Quoiqu'on décrive le lépréchaun comme
le Petit Homme national
irlandais, à l'origine, ce nom
ne s'utilisait, que dans la
partie nord
du Leinster.

Le Lépréchaun

En Ulster, le terme utilisé pour ce lutin était
lurachmain, en Connaught *lurican* et en Munster
lurgadhan. Aujourd'hui, le nom originaire du nord
de Leinster est adopté dans toutes les régions
d'Irlande.

Variantes:
lurachmain
lurican
lurgadhan

Les lépréchauns ont l'aspect de vieillards
minuscules et sont généralement les cordonniers
du petit peuple. En fait, le nom de lépréchaun
tire peut-être son origine de l'irlandais *leigh
bhrogan* (cordonnier), mais on a aussi suggéré que
ses origines pourraient se trouver dans le mot
irlandais *luarcharma'n* (pygmée).

Le Lépréchaun

Les lépréchauns sont généralement décrits comme de petits hommes débraillés, mesurant environ quatre-vingt-dix centimètres, vêtus de jaquettes verdâtres et de haut-de-chausses rouges ornés d'une boucle au genou, de bas de laine et d'un chapeau à larges bords légèrement recourbé d'un côté. Ils fument constamment des pipes nauséabondes appelées «dudeens» et ont tendance à être d'humeur revêche et maussade.

Il n'est pas surprenant que le lépréchaun soit une créature solitaire et habite dans des «sheughs» (ravines) ou se cache derrière des buissons ou sous des haies. Seul le tapotement sur la chaussure qu'il est en train de fabriquer, témoin sonore de son travail, signale sa présence.

On les trouve souvent en état d'ivresse en raison d'une consommation excessive de «poteen», whiskey de leur propre fabrication. Pourtant, ils ne s'enivrent pas au point que le maniement de leur marteau devienne mal assuré et que leur travail en soit affecté. L'abus de la boisson les rend généralement plutôt plus maussades et argumentateurs.

Il semble que les lépréchauns féminins n'existent pas et les conjectures sur leur reproduction sont nombreuses. Les lépréchauns sont extrêmement secrets quant à leurs origines mais la croyance veut qu'ils soient la progéniture d'unions entre des mortels et des esprits qui ont été rejetés par leurs mondes respectifs.

Les lépréchauns portent deux bourses en cuir. Dans l'une, se trouve un shilling d'argent, pièce magique qui retourne dans sa bourse à chaque fois qu'elle est dépensée. De cette façon, le lépréchaun semble donner son argent sans jamais vraiment se démunir. Dans l'autre, il a une pièce d'or qu'il offre en pot-de-vin pour s'extirper de situations difficiles. Cette pièce se change en feuilles ou en cendres dès que le lépréchaun l'a déboursée.

Le Lépréchaun

On peut déduire de tout ceci que le lépréchaun peut être capricieux. Il se doit de l'être car en plus de son métier de cordonnier, il est le banquier du petit peuple. Les lépréchauns connaissent les endroits où sont cachés d'anciens trésors et ont pris sur eux de devenir les gardiens de cette richesse. Les autres membres du petit peuple doivent demander au lépréchaun l'or nécessaire à leurs festivités ou à leurs largesses. Même le directeur de banque le plus insensible serait mortifié par l'humeur revêche du lépréchaun. Les lépréchauns rassemblèrent la plupart de l'ancien trésor laissé par les Danois après leur pillage de l'Irlande et l'enterrèrent dans des marmites et des chaudrons. Le lépréchaun possède une mémoire phénoménale. Il connaît en effet l'endroit exact de chaque chaudron et peut facilement le récupérer, s'il le veut. Mais la plupart des lépréchauns sont de nature pingre et ne se sépareront pas facilement de leur argent.

Les lépréchauns tendent à éviter les contacts avec les humains. Tout d'abord parce qu'ils les considèrent être des créatures stupides et frivoles mais aussi parce qu'ils craignent que les humains volent les trésors qu'ils gardent avec tant de soin. En outre, en dépit de sa carrure trapue et ramassée, le lépréchaun est extraordinairement alerte et se déplace si vite que les humains ne peuvent le voir évoluer. La plupart des humains ne l'entrevoient que brièvement lorsqu'il bondit hors de vue pour disparaître derrière un arbre ou sous un buisson. Au mortel qui l'attrape, il promettra de grandes richesses en échange de sa liberté. Vous ne devez jamais, cependant, le quitter des yeux, car il peut se volatiliser en un instant et sa rapidité surprend celui qui l'observe.

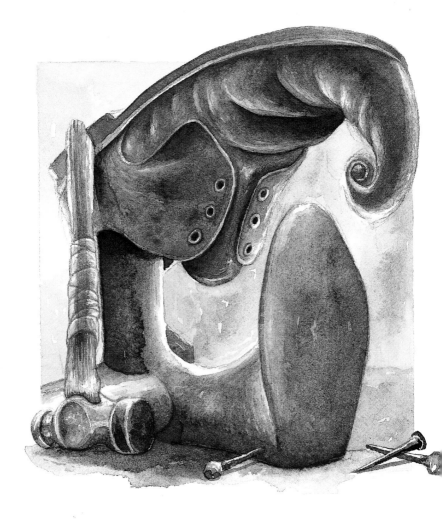

Son humeur revêche et son aversion naturelle des êtres humains n'empêchent pas le lépréchaun de récompenser ceux qui, selon lui, lui ont rendu service. Il a un sens extrême de l'honneur et il rétribue toujours celui qui lui a fait une faveur. Malheureusement, de telles récompenses consistent souvent en liqueur forte qui, invariablement, laisse le bénéficiaire en piteux état.

Le Lépréchaun

Il semble que la famille des lépréchauns soit divisée en deux groupes distincts. Et savoir si le cluricaun est en fait un type de lépréchaun ou un proche cousin dégénéré est un sujet fortement controversé. Il y a certainement une ressemblance physique entre les deux types de lutins, encore qu'ils possèdent un tempérament tout à fait différent. Le lépréchaun est travailleur mais revêche, le cluricaun est indolent et gai. Le lépréchaun porte des vêtements de couleur verte mais le cluricaun aime s'endimancher et porte des vêtements aux couleurs criardes. En fait, il ressemble quelquefois à un paysan gentilhomme miteux en vadrouille.

A la différence des lépréchauns, les cluricauns ne portent jamais d'argent sur eux, ne connaissent pas de trésors cachés et volent ce qu'ils désirent plutôt que de l'acheter. Comme leurs homologues plus riches, ils ont un penchant pour les liqueurs fortes et pillent sans vergogne les caves de vin et les bars des riches où ils vident fûts et bouteilles. Ils pénètrent dans les garde-manger la nuit et font bonne chère jusqu'à la levée du jour car ils ont un appétit gigantesque. Pour leur propre plaisir, ils font des ravages la nuit dans les maisons, renversant les chaises, cassant les assiettes et cachant des objets pour qu'on ne puisse pas les retrouver.

Les cluricauns harnachent aussi les moutons, les chèvres et les chiens, et même la volaille, pour les chevaucher la nuit, dans la campagne. Ils font tomber murs et barrières et dispersent le bétail dans la campagne pour donner du travail supplémentaire au pauvre fermier. Puis, de dessous une haie et avec un pichet de poteen volé à leur côté, les cluricauns se moquent des stupides mortels qui essaient de réparer les dégâts qu'ils ont causés.

Les lépréchauns désapprouvent ouvertement cette conduite inconvenante et se dissocient des activités des cluricauns. Certains se demandent si le cluricaun n'est pas simplement un lépréchaun s'adonnant à quelque beuverie...

Le dullahan est une des créatures les plus
spectaculaires du royaume des esprits
irlandais et est particulièrement actif
dans les endroits les plus isolés des
comtés de Sligo et de Down.

Le Dullahan

Variantes:
dullaghan
far dorocha
Crom Dubh

Vers minuit lors de festivals ou de
jours de fêtes irlandais, on peut
apercevoir ce cavalier sauvage, vêtu de
noir qui chevauche de par la campagne
un coursier sombre qui s'ébroue.

Le Dullahan

W. J. Fitzpatrick, raconteur
des Mourne Mountains dans
le comté de Down, décrit une
telle rencontre:

« J'ai moi-même vu le
dullahan s'arrêter au
sommet d'une colline entre
Bryanford et Moneyscalp
un soir tard, juste au
coucher du soleil. Il était
sans tête mais la tenait dans
sa main et je l'entendis crier
un nom. Je me suis bouché
les oreilles pour ne pas
entendre ce qu'il criait, au
cas où il aurait appelé mon
nom. Quand je regardai de
nouveau, il avait disparu.
Mais peu de temps après, il
y eut un terrible accident de
voiture sur la même colline
et un jeune homme fut tué.
C'était son nom que le
dullahan appelait. »

Les dullahans sont sans tête. Quoique le dullahan n'ait pas de tête sur les épaules, il la porte avec lui, soit sur le pommeau de la selle de son cheval, soit posée sur sa main droite. La tête est lisse et de la couleur et de la texture de vieille pâte à pain ou de fromage moisi. Un rictus hideux et stupide lui fend le visage jusqu'aux deux oreilles, et ses yeux, normalement petits et noirs, projettent leurs dards telles des mouches malfaisantes. La tête entière brille de la phosphorescence de la matière en décomposition et la créature l'utilise comme une lanterne pour se guider le long des chemins obscurs de la campagne irlandaise. Là où le dullahan s'arrête, un mortel meurt.

Le dullahan est doué d'une vue surnaturelle. En tenant sa tête décapitée en l'air, il peut scruter la campagne au loin, même durant les nuits les plus noires. Grâce à ce pouvoir, il épie la maison d'une personne mourante où qu'elle se trouve. Ceux qui regardent par la fenêtre pour le voir passer, reçoivent pour leur peine une bassine de sang au visage ou perdent l'usage d'un oeil.

Le Dullahan

Le dullahan chevauche habituellement un coursier noir dont les sabots retentissent dans la nuit. Son fouet est une épine dorsale humaine. Le cheval, dans son galop, renâcle étincelles et flammes. Dans certains endroits du pays, comme le comté de Tyrone, le dullahan conduit un coche noir connu sous le nom de coach-a-bower (de l'irlandais *coiste bodhar*, signifiant coche sourd ou silencieux). Il est tiré par six chevaux noirs, et passe si vite que la friction produite par son mouvement met souvent feu aux buissons le long des bords des routes. Toutes les barrières s'ouvrent soudainement pour laisser passer le coche et son conducteur, même si elles sont solidement verrouillées. Personne n'est donc à l'abri des attentions de cet esprit.

Cet esprit a un pouvoir de parole limité. Sa tête désincarnée ne peut parler qu'une fois durant chaque voyage entrepris, et même alors, elle ne peut qu'appeler le nom de la personne dont elle annonce la mort. Un dullahan arrêtera son cheval qui s'ébroue devant la porte d'une maison et criera le nom de la personne qui va mourir et attirera l'âme par son appel. Il s'arrête aussi à l'endroit même où une personne va mourir.

Les nuits de jours de fête irlandais, il est conseillé de rester
chez soi avec les rideaux tirés surtout vers la fin d'août ou au
début de septembre, époque où avait lieu, selon les chroniques,
le festival de Crom Dubh. Si vous devez sortir à cette période
là, n'oubliez pas de vous munir d'un objet en or.

Le Dullahan

On ne connaît pas avec certitude les origines du dullahan, mais on pense qu'il est l'incarnation d'un ancien dieu celtique, Crom Dubh, ou Crom Noir. Crom Dubh était vénéré par le roi préhistorique, Tighermas, qui régna en Irlande il y a environ mille cinq cent ans et qui légitima les sacrifices humains aux idoles païennes. En tant que dieu de la fertilité, chaque année Crom Dubh exigeait des vies humaines, la méthode de sacrifice la plus répandue étant la décapitation. Crom continua à être vénéré en Irlande jusqu'au sixième siècle, au moment où des missionnaires chrétiens arrivèrent d'Ecosse. Ils dénoncèrent tous ces cultes et sous leur influence, les vieilles religions sacrificielles tombèrent en désuétude. Néanmoins, Crom Dubh refusa d'être privé de sa part annuelle d'âmes et il prit la forme physique qui devint connue sous le nom de *dullahan* ou *far dorocha* (signifiant homme noir), l'incarnation réelle de la mort.

Contrairement à la banshie, le dullahan ne poursuit pas de familles précises et son cri est un appel de l'âme d'une personne mourante plutôt qu'un avertissement de mort. Aucune défense contre le dullahan n'est possible car il est le messager de la mort. Cependant un objet en or peut le chasser, car les dullahans semblent avoir une peur irrationnelle de ce métal précieux. Même une petite quantité d'or suffit à les faire disparaître, comme le récit suivant du comté de Galway le relate:

«Un homme rentrait chez lui un soir entre Roundstone et Ballyconneely. La nuit venait de tomber et, tout à coup, il entendit un bruit de sabots de cheval qui retentissaient sur la route derrière lui. Il se retourna et vit le dullahan sur son cheval venant vers lui à grande vitesse. Dans un grand cri, il se mit à courir, mais la chose le poursuivait, le rattrapant toujours davantage. A vrai dire, elle l'aurait dépassé et emporté s'il n'avait laissé tomber une épingle à tête d'or des plis de sa chemise sur la route derrière lui. L'air au-dessus de lui se remplit d'un hurlement, et quand il se retourna à nouveau, le dullahan avait disparu.»

Quelques autres Esprits

L'esprit du beurre

Les esprits du beurre apparaissent généralement sous l'aspect de petits vieillards, habillés de vert et ne mesurant pas plus de trente à soixante centimètres. On les trouve dans toute l'Irlande mais ils sont surtout présents dans les comtés de Sligo et de Monaghan. Ce sont des cousins distants du lépréchaun, mais ils ont un caractère plus espiègle et plus voleur que le sien. Ils volent ce qui n'est pas attaché et prennent la nourriture qui n'est pas marquée d'un signe de croix. Il aiment surtout le beurre frais et vont retirer la crème du lait avant qu'il ne soit baratté. Il n'en restera qu'une écume inutilisable qui ne donnera aucun beurre. Certaines chroniques indiquent qu'ils ne volent jamais «de la table d'un pauvre», préférant voler celle des riches. On peut les apercevoir la nuit, munis de leurs lanternes pour éclairer le chemin et de leurs grappins pour atteindre des endroits inaccessibles ou de hautes étagères, toujours à l'affût de quelque chose à voler. Ces lutins sont aussi connus en Angleterre où ils fréquentent surtout les riches abbayes dont les moines sont devenus hédonistes et paresseux. Pour cette raison, les variantes anglaises sont parfois connues sous le nom de *Abbey Lubbers*.

Skeaghshee ou Oakshee

Les *skeaghshee* sont principalement des esprits sylvains, *skeagh* signifiant un arbre isolé, *shee* ou *sidhe* signifiant esprit, à qui l'on a donné la garde de certains arbres. Dans toute l'Irlande, il est communément proscrit de couper un «arbre fée» et le skeaghshee a pour fonction d'assurer que ceux qui sont malavisés de le faire soient châtiés. Les skeaghshee habitent dans toute l'Irlande, là où se trouvent des arbres ou des buissons isolés. Leurs pouvoirs sont sans limites – ils infligent maladie, folie, pauvreté ou malchance à celui qui ne respecte pas l'arbre fée dont ils ont la garde – et grâce à ses pouvoirs, même la famille de cette personne connaitra la malchance si le skeaghshee le désire. Ce sont des esprits qu'il ne faut pas traiter à la légère et donc avant de toucher au paysage, il vaut mieux s'assurer qu'il n'y a pas d'arbre fée aux alentours.

Far Darrig

Le *Far* ou *Fïr Darrig,* esprit spécifique au comté de Donegal pour être précis, quoique mentionné ailleurs aussi, est un personnage quelque peu insaisissable. Il n'existe vraiment aucune description correcte de ce personnage et son nom «L'Homme Rouge» ne fournit aucune indication sur son aspect. Même sa taille est sujette à discussion – certaines chroniques le décrivent comme «une petite personne vêtue d'un manteau rouge» tandis que d'autres le représentent comme un géant gris. C'est un sournois qui trompe, de façon terrible et quelquefois épouvantable, les mortels sans la moindre méfiance. A part cela, il apparaît souvent à la porte de quelqu'un par les nuits froides et demande à entrer pour se réchauffer près du feu. Un refus serait malaisé car si on le chasse, il emporte «la chance de la maison» avec lui. Le Far Darrig n'est pas réputé pour son hygiène corporelle et dans de nombreux cas, les occupants de la maison ont dû endurer son odeur plutôt désagréable pendant plusieurs jours, même après son départ.

Watershee

La *watershee* est peut-être le plus trompeur de tous les esprits. On trouve cet esprit, généralement féminin, dans les régions marécageuses, tel que le Bog of Allen; il correspond à notre idéal de la fée – petite, délicate avec des ailes de papillon. Quelquefois, elle apparaît sous la forme d'une femme très belle. Les apparences sont bien sûr trompeuses car c'est une fée redoutable. Comme la *sheerie,* la watershee attire les voyageurs dans les tourbières et les lacs par son apparence innocente et ses chants mélodieux. Là, elle les noie et, selon la chronique, elle dévore leur âme. Seul le port d'une croix ou de tout autre fétiche pieux ou bien encore une prière dite à voix haute protègent les humains de ses moeurs sinistres et funestes.